ゆかいなことば つたえあいましょうがっこう

へのへのもへじのおともだち

宮下すずか
絵 市居みか

あぶない！
はいっては　いけません。

こうえんの　ブランコの　まえに、こんな
かんばんが　おかれて　いました。
ヘルメットを　かぶった　あらいぐまの
おじさんが、ブランコの　しゅうりを　して

います。
かんばんに　かかれた　ぶんしょうの
下《した》には、「へのへのもへじ」が　かいて
ありました。

この「へのへのもへじ」は、
「ここに　ちかづいては　だめ！」
と　いって　いるかのように、こわい　かおで
ぎろりと　にらんで　います。
ですから、こうえんに　やって　きた
子《こ》どもたちは、この「へのへのもへじ」を
見《み》ると、すぐに　そこから　はなれて
いきました。

つたえあいましょうがっこう　一《いち》ねん
一《いち》くみの　りすの　ケイちゃん、さるの
ワカちゃん、うさぎの　ミウちゃんは、
ときどき　この　こうえんで　あそびます。
三《さん》びきは、クラスの　みんなから
「トライアングル」と　よばれて　いました。
いつも　むかいあって　はなしを　して　いて、

それは　まるで　三《さん》かくけいの
トライアングルのように　見《み》えるので、そう
よばれて　いたのです。
こうえんには、ブランコの　ほかに
ジャングルジム、シーソー、すべりだい、
てつぼう、すなばが　あって、まんなか
あたりには、小《ちい》さな　かだんが　ありました。
トライアングルは　ブランコが　大《だい》すきなの

ですが、きょうは　のれません。そう　なると、
かんばんに　かかれて　いた
「へのへのもへじ」が、なんだか　にくらしく
おもえて　きました。
　しかたが　ないので、ほかの　あそびを
しようと、かだんの　ところで　かんがえて
いました。
「あの『へのへのもへじ』って、こわい　かおで

わたしたちに　おこって　いるみたいね。」
りすの　ケイちゃんが　いいました。
「ああ　いう　こわい　かおを　して
いるからこそ、みんなが　ちかづかないで
いるのよ。これが　にこにこ　わらって　いたら、
『ようこそ　いらっしゃいました！　さあ、
どうぞ　どうぞ』なんて　いって　いるみたいで、
しゅうりちゅうでも　すたすた

はいっちゃいそうだわ。」
さるの　ワカちゃんが　いうと、うさぎの
ミウちゃんは　わらって　いいました。
「その　ぎゃくかも　しれないよ。にこにこの
えがおで『はいっては　いけません』と
いわれたら、『はい、ぜったいに　はいりません。
ちかづかないように　します』って　いう
きもちに　なると　おもうの。わたしは、

おかあさんに　しかられる　とき、おこった
かおよりも、やさしい　かおで　いわれる
ほうが、『こんどから　きを　つけよう』と　いう
きもちに　なれるもの。」

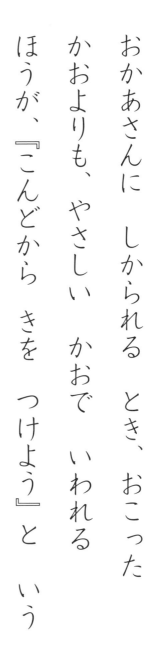

「たしかに　そうかも　しれないね。そういえば　ゆうべ、うちの　おかあさんたら『へのへのもへじ』みたいな　かおを　して、かなり　おこって　いたの。こわかったよう。こんな　かお。」

　ワカちゃんは、にらむようなきつい　目《め》を　して、口《くち》を　「へ」の字《じ》に　まげて　みせました。

「ねっ、すごく　こわいでしょう。口《くち》を　こう
やって　あけて、わらった　かおに　すると、
やさしい　おかあさんに　なるんだけどなあ。」
こんどは、口《くち》を　ぱっと　まるく　あけました。
それは、「こ」の　字《じ》みたいに　見《み》えました。

「それって、『へのへのもへじ』じゃ　なくて、
『へのへのもこじ』かな。」
ケイちゃんは　そう　いうと、

へのへのもこじ

と、じめんに　かいて　みました。
ぶすっと　おこって　いる「へのへのもへじ」
とは　ちがい、口《くち》を　あけて　わらって

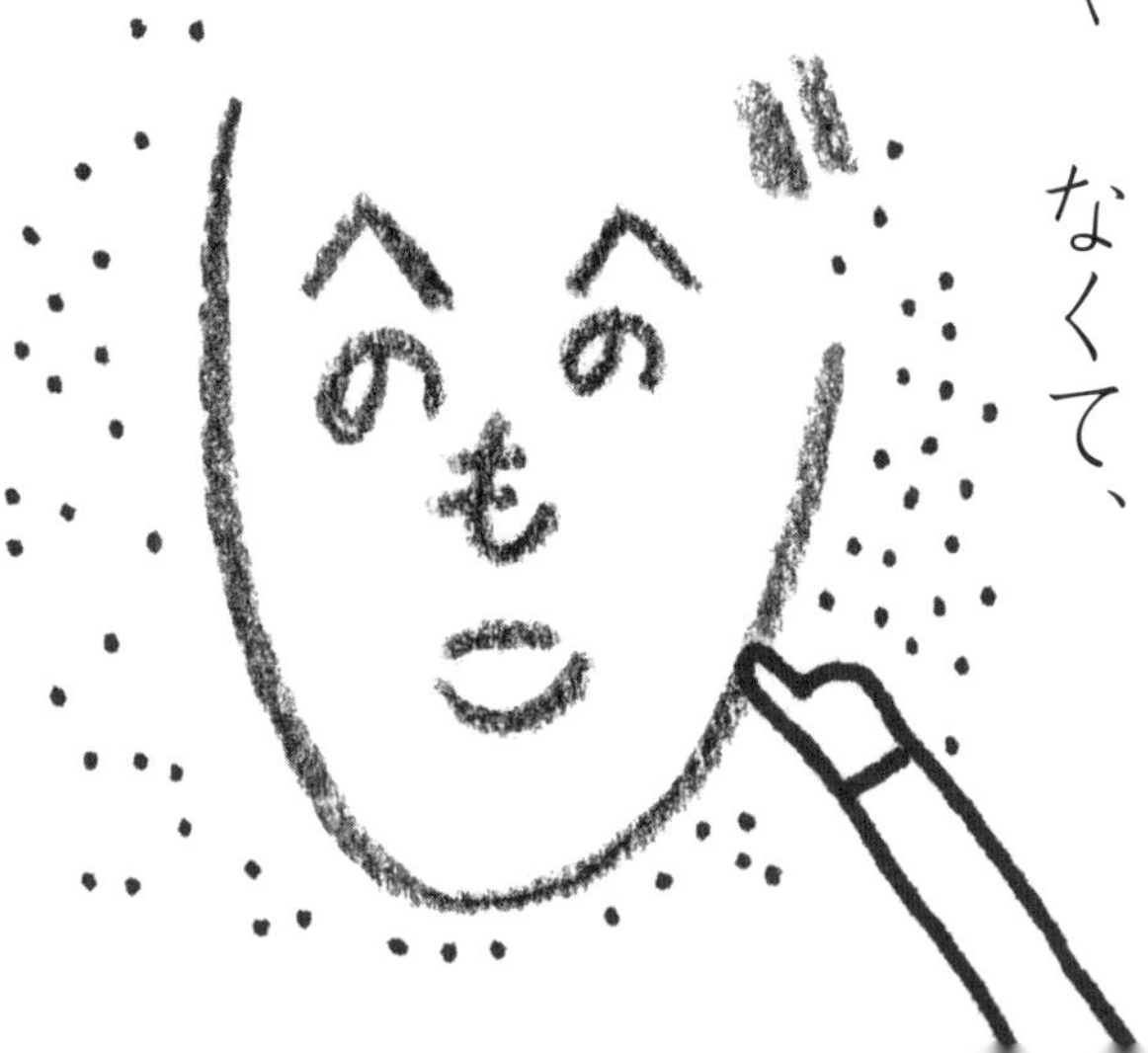

いるように　見《み》えました。
すると、こんどは　ミウちゃんが、
「もっと、にこにこさせて　みるね。」
そう　いって、「へのへのもこじ」の
となりに　かきました。

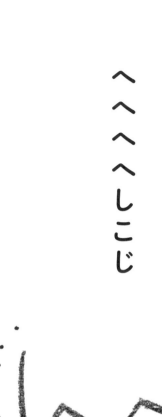

口《くち》を「こ」に　しただけで　なく、目《め》を
まゆげよりも　小《ちい》さな「へ」で　かいて、はなも
「し」に　して　みたのです。
「ああ、わらった　わらった、おもしろい！」
「ひらがなの　もじ　七《なな》つで、いろいろな
かおの　えが　かけるんだね。」
「ほかにも　かいて　みようよ。」
トライアングルは　じめんに　むかって、

おもいつく　まま　かいて　いきました。
りすの　ケイちゃんは、かわいい　女《おんな》の子《こ》を
かきたいと　おもいました。
目《め》に　まつげを　つけて、かみのけを
かきました。

かわいく　なった
へめへめもこひ

うさぎの　ミウちゃんは、じぶんと　おなじ
かおに　したいと　おもいました。
ぴいんと　ながい　みみに　して、くるんと
しっぽを　つけて　みました。

うさぎに　なった
へのへのもへぬ

さるの　ワカちゃんは、「へのへのもへじ」と

おなじ　もじで、二《ふた》つの　かおを　かいて
みました。

やせっぽちさんの
へのへのもへじ

ふとっちょさんの
へのへのもへじ

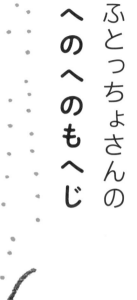

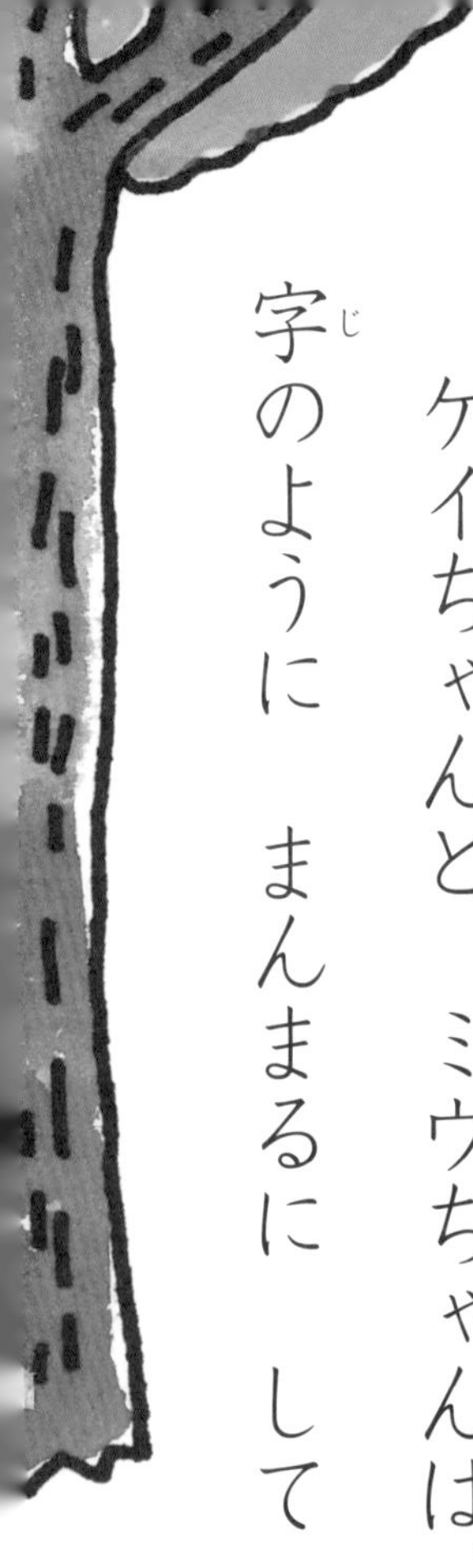

「ワカちゃんの『へのへのもへじ』って、ぜんぶ
おなじ　もじなのに、まるで　ちがう　かおに
なるんだね。これは、おどろき　もものき
さんしょのき！」
「ねえねえ、『へのへのもへじ』の
おともだちを　もっと　ふやして　みない？」
ケイちゃんと　ミウちゃんは、目《め》を　「の」の
字《じ》のように　まんまるに　して　いいました。

「うん、そうしよう。あれっ、ユマくんたちだ！」
ワカちゃんが　ゆびさしました。

やって　きたのは、おなじ　クラスの　かばの
ユマくん、きりんの　ツマくん、ぞうの
メアくんでした。この　三《さん》びきも　なかよしで、
さっきまで　すべりだいで　あそんで
いたのですが、トライアングルが　じめんに
なにか　かいて　いるのを　見《み》て、のぞきに
きたのです。
えを　かく　ことが　すきな、かばの

ユマくんが　いいました。
「おや、『へのへのもへじ』だけじゃ　なくて、
ほかの　もじの　かおが　まじって　いる。
おもしろそうだね。なかまに　いれてよ。」
いろいろな　もじで　できた　かおを　見《み》て、
じぶんも　かいてみたく　なったのです。
かばの　ユマくんは、
「ぼく、おなかが　すいて　きちゃったから、

こんなのが　うかんで　きたよ。」
と　いって　かきました。

いま　たべたいな
つるつるうどん

「へのへの」を「つるつる」に　して、
まゆげと　目《め》を　かきました。「う」は、はなと
口《くち》に　なりました。「ど」は、大《おお》きく　まるく

かいて　かおの　りんかくに、「ん」は、よこに
ちょこんと　つけて、みみに　しました。
ユマくんは、ほかにも　二《ふた》つ　かきました。

こんやの　ごはん
すしすしうまい

かたい　おまめを
かりかりかりりん

「わあ、おもしろい　かお！」

「いろんな　もじを　つかったんだね。」

「ユマくん、てんさい！」

トライアングルに　ほめられて、ユマくんは
てれて　いました。

すると、きりんの　ツマくんも　まけずに、

「ぼくのは　どう？　はしったから
つかれちゃったんだ。」

と　いって　かきました。

どっと　つかれて

へとへとつらい

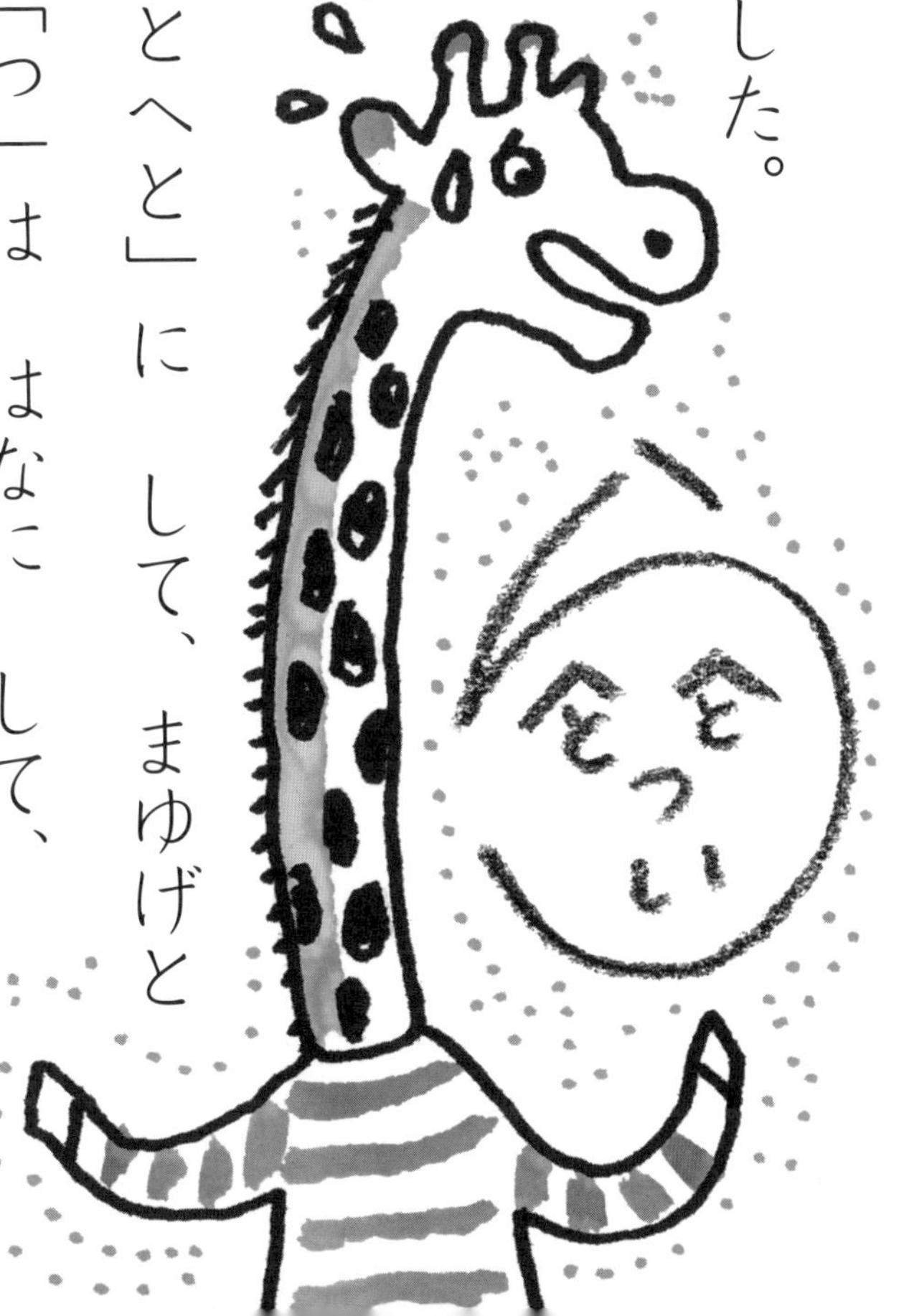

「へのへの」を「へとへと」に　して、まゆげと
目《め》を　かきました。「つ」は　はなに　して、
「ら」は　大《おお》きく　ふっくらと　かいて　かおの
りんかくに　しました。さいごの「い」は、口《くち》に

なりました。
たおれそうだよ
くるくるくらり
あしの　うらがわ
ひりひりいてて

ツマくんが　さらに　二《ふた》つ　かくと、　またまた
ゆかいな　かおが　ふえて、　トライアングルは

手《て》を　たたいて　よろこびました。
かばの　ユマくんも　きりんの　ツマくんも
うれしそうでしたが、ぞうの　メアくんだけは
下《した》を　むいた　まま、かんがえこんで
いました。メアくんは、ひとつも
かけなかったのです。

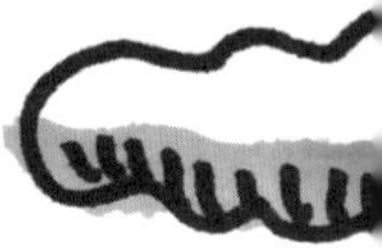

と その とき、 さるの ワカちゃんが、
とつぜん 大《おお》きな こえを だしました。
「おーい、ズミくーん。いっしょに あそぼう。」
こうえんの まえの とおりを、 そそくさと
とおりすぎて いこうと した きつねの
ズミくんを よびとめたのです。

ズミくんは、いっしゅん　かおを　しかめると、
「まずい、うるさい　トライアングルに
つかまって　しまった。また　やりこめられそう
だけど、ちょっと　よって　みるか。」
と　ひとりごとを　いって、こうえんの　なかに
はいって　いきました。へそまがりで、いつも
はんたいの　ことばかり　いって　いる
ズミくん、ほんとうは　クラスの　子《こ》たちが

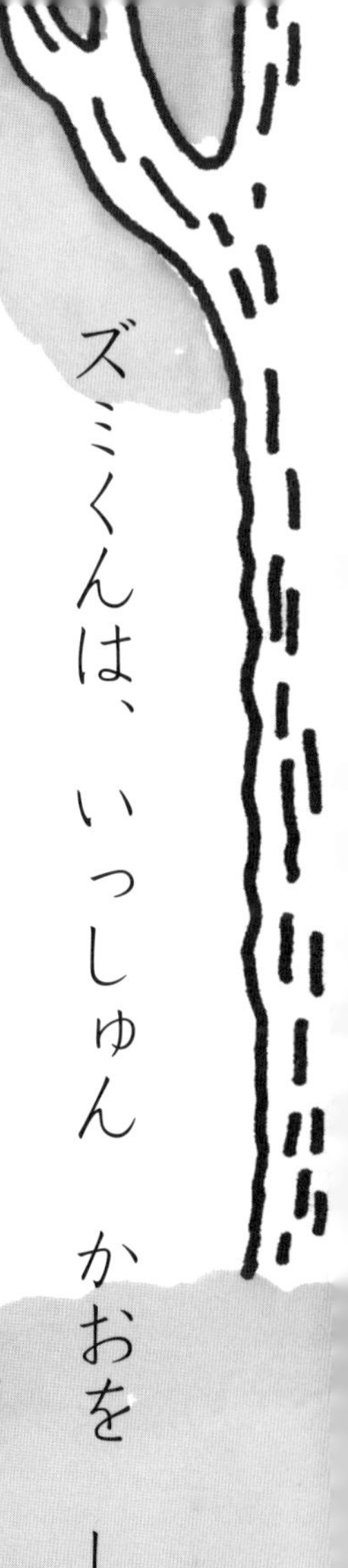

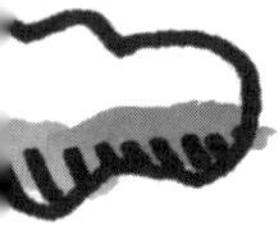

あつまって　いるのを　とおくから　見《み》て、きに
なって　いたのです。
トライアングルが、いっしょに　かいて
みないかと　さそうと、ズミくんは　あたりを
ざっと　見《み》まわして　いいました。
「ふーん、へんてこりんな
かおばっかり。
ちゃんちゃら　おかしい

かおの　あつまりって　わけだ。」
「ちゃんちゃら　おかしいですって？」
「ひどい　ことを　いうわね。
だったら　ズミくん、かいて
みなさいよ。」
「そうよ。ちゃんちゃら
おかしくない　かおをね！」
すっかり　トライアングルの

ごきげんを　そこねて　しまった　ズミくんは、
「わかったよ。かけば　いいんだろう、かけば。」
と　いうと、しゃがみこんで　じめんを　じっと　見《み》つめて　いました。

ちょうど　そこへ、ねずみの　ニタくんと、たぬきの　ツナくんが　とおりがかりました。まちの　としょかんで　やって　いた「にちよう子《こ》ども　えいがかい」の　かえりでした。

いろいろな　もじの　かおが　ならんで　いる
のを　見《み》た　ニタくんと　ツナくんは、
「おもしろそうだ、ぼくたちも　かいて
みたいな。」
そう　いうと、うでぐみを　したり、「うーん」
と　うなったりして　かんがえはじめました。
すこし　はなれた　ところでは、ズミくんが
みんなに　せなかを　むけた　まま、ぶつぶつ

いって かいて います。
トライアングルも、ズミくんに まけてなんか
いられないと、つぎつぎに かいて いきました。

こわい かお だめ
へらへらしてり

まどの そとでは
こんこんこゆき

なんか へんだと
くすくすわらう

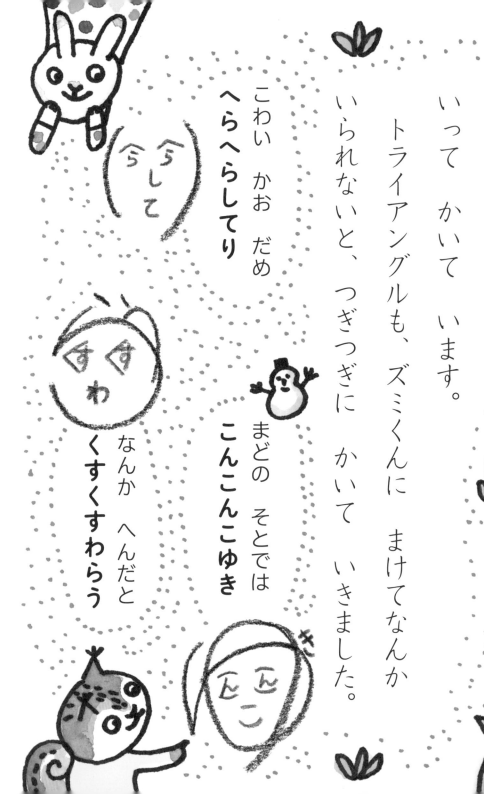

ちょっと　おかしな
へんへんくつや

しわしわ　じいさん
へへののころ

かみが　いっきに
ぐんぐんのびた

なんだか　とても
わくわくするよ

ひさしぶりだね
もしもしでんわ

うれしい　きぶん
るんるんしてる

トライアングルが　かいた　ものが　さらに
くわわって、ますます　にぎやかに　なりました。
「できたっ！」
たぬきの　ツナくんが、「ばんざい」を
するように、りょうてを
あげて　さけびました。
ツナくんも
かけたようです。

きゅうな　ことで
びっくりしてる

みんな　あつまれ
ここへこいこい

はるが　きたきた
つくつくし

ツナくんが　かいた　ひょうきんな　かおに、

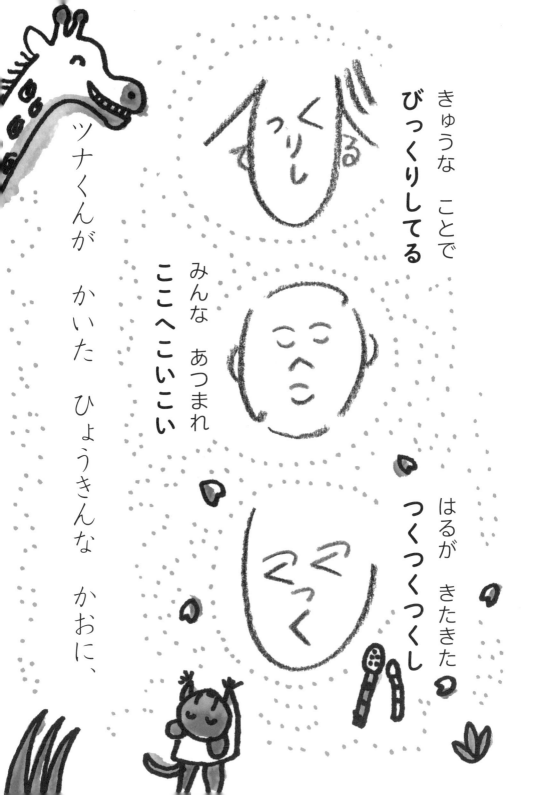

みんなは　わらって　しまいました。
いっぽう、ねずみの　ニタくんは、くびを
すくめて　はずかしそうに　いいました。
「ぼくは　なかなか　うかばなかったから、
『へのへのもへじ』の　まま　なんだけど。」
ニタくんは、なんと　カタカナで
かいたのです。ワカちゃんが　かいて　いた
二《ふた》つの「へのへのもへじ」も　カタカナに　して

みました。

ごきげんななめの
ヘノヘノモヘジ
やせっぽちさんの
ヘノヘノモヘジ
ふとっちょさんの
ヘノヘノモヘジ

これ　また　おもしろい　かおが　できました。
かおの　りんかくには　ちょっぴり　へんてこな
ジの　もじですが、きに　しない、きに　しない。
そう　こう　するうち、どうやら　ズミくんも
かけたようです。
「きみたちの　だれもが　かけない、
スペシャルなのを　お見《み》せしようかな。」
にやにやしながら、じしんまんまんに　いうと、

「もったいぶらないで、はやく　見《み》せなさいよ。」
と、ワカちゃんから　ぴしゃりと　いわれて
しまいました。
　そこには、五《いっ》つの　かおが　ありました。
なんと、それは　かんじだったのです。一《いち》から
十《じゅう》までの、かんじの　すうじで　かかれて
いたのでした。
「でんわばんごうとか、あんしょうばんごう

みたいだろう。くっくっく。」
ズミくんは　ぶきみな　わらいかたを
すると、ひともじ　ひともじを　なぞりながら、
すうじを　よみあげて　いきました。

一《いち》四《よん》一《いち》四《よん》七《なな》二《に》六《ろく》
一《いち》八《はち》一《いち》八《はち》四《よん》七《なな》七《なな》

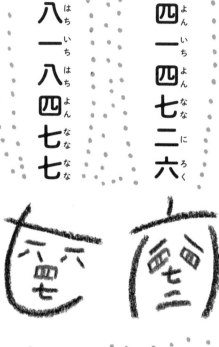

三《さん》三《さん》十《じゅう》一《いち》二《に》八《はち》八《はち》

一《いち》七《なな》一《いち》七《なな》十《じゅう》四《よん》九《きゅう》

五《ご》五《ご》八《はち》一《いち》十《じゅう》十《じゅう》一《いち》

これらは、だいぶ　かわった　ふしぎな
かおに　見《み》えましたが、かんじを　とりいれた
おもいつきに、「ズミくん、すごい！」と
はくしゅが　わきおこりました。ズミくんは
てれくさそうでしたが、
「どんな　もんだ。」
と　いわんばかりに、むねを
はって　いばって　みせました。

その　ときです。
「どけ　どけ　どけぇ。」
「じゃまだ　じゃまだぁ。」
らんぼうな　ことばを　はきながら、となりの
クラスの　ドーベルマンの　まんたろうくんが、
その　あとを　シェパードの　くろすけくんが
はしって　きました。へいきで　もじの　かおを
ふみつけて、あっと　いう　まに　はしりさって

いったのです。

　この　二《に》ひきは、ひごろから　あちこちを
はしりまわって　いました。とくに　らいげつは、
町《まち》の　マラソンたいかいが　あるので、それを
めざして　はりきって　いたのでした。

　みんなは、はらを　たてて　いました。

「あとから　きた　くせに、いきなり　どけって
どう　いう　こと？」

96
10000

「むりに　ここを　とおらなくても、むこうを
はしれば　いいのに。」
「じゃまされたのは　こっちよ。ほら　見《み》て、
かおが　けされて　いる。」
ふみつけられた　かおの、目《め》や　はなや　口《くち》が
きえて　いたのです。「へめへめもこひ」の
女《おんな》の子《こ》の　かおが「ひ」だけに　なって、
「へへへへしこじ」の　にこにこがおも「じ」

だけに　なって、二《ふた》つとも　のっぺらぼうに
なって　いました。
「ひどいなあ。きっと　また　くるよ。こんど
きたら、この　かおたちを　まもろうね。」
ここを　とおらせないように、みんなで
さくせんを　ねりました。

しばらく　すると、ふたたび　あらあらしい
こえを　だして、ものすごい　スピードで
二《に》ひきが　やって　きました。
さあ、さくせん　かいし！
トライアングルたち
九《きゅう》ひきは、すばやく　よこ
一《いち》れつに　ならぶと、
とおせんぼうを　するように

手《て》を　つなぎ、そらを　あおいで
ねころびました。
これには、まんたろうくんと
くろすけくんも　びっくりです。
てっきり　どいて　くれるだろうと
おもったのに、そこに　ねて
しまったからです。
あわてて　きゅうブレーキを

かけましたが　まに　あわず、バランスを
くずして　二《に》ひきとも　ひっくりかえって
しまいました。
「いててて。」と　ひざこぞうや　おしりを
さすりながら、ねて　いる　みんなの
かおを　のぞきこみました。
「ひぇー！」
「なんだよ、これは！」

またまた　おどろいて、とっぴょうしも　ない
こえを　だしました。
なんと、みんなの　かおの　上《うえ》には、白《しろ》くて
しかくい　かみが　のせられて　いました。
そればかりでは　ありません。その　かみには、
「へのへのもへじ」が　かかれて　いたのです。
それは、えいがかいに　いった　たぬきの
ツナくんと　ねずみの　ニタくんが　おみやげに

もらった　がようしに、　それぞれが
「へのへのもへじ」を　かいた　もので、　どれも
こわい　かおで　にらんで　いました。
まんたろうくんと　くろすけくんが
ぼうっと　立《た》って　見《み》て　いると、　その
「へのへのもへじ」たちが　いっせいに　ぱっと
おきあがりました。

　どうじに、　おそろしい　「へのへのもへじ」の

かおが　ひらりと　おちました。
そこで、いつもの　みんなの　かおが
あらわれる　はずでした。
ちがったのです！
ますます　おどろいた　まんたろうくんと
くろすけくん、こんどは　こえも　でません。
いかりに　みちた　十八《じゅうはち》この　きつい　目《め》、
ぎゅっと　かたく　むすんだ　九《ここの》つの　口《くち》、

さっきの「へのへのもへじ」より もっと
こわい かおが、 ずらりと ならんで
いたからです。

こえまでも　おそろしい　かおたちが、
つぎつぎに　いいました。
「さいしょに　じゃまを　して　きたのは、
そっちだわ。」
「たのしく　えを　かいて　いたのに、
けしちゃって！」
「ここは、まんたろうくんと　くろすけくん
だけの　ものじゃ　ない。みんなの

こうえんよ！」

これまでの　いきおいは　どこへやら、
まんたろうくんと　くろすけくんは、「じゃま」
とか「どいて」などとは　いえずに、

「な、なに？」
「みなさん、こわい　かおして。」
と、きえいりそうな　こえで　いいました。

この　おどおどした　すがたを　見《み》て、

たぬきの　ツナくんが、
「いまの　まんたろうくんと　くろすけくんの
かおって、ここと　そこの　かおに　にて
いるね。」
そう　いって　ゆびさしたのは、
ズミくんが　かいた　かおでした。
この　二《ふた》つは、こまったような
なきたいような　かおを　して　いました。

まんたろうくんと　くろすけくんは、すぐに
いいかえしました。
「だったら　きみたち　ぜんいん、さっきの
『へのへのもへじ』の　かおの　ままだ！」
「いや、それ　いじょうの　こわい　かおだ！」
これを　きいて、いつものように
トライアングルが　おこりだすと　おもいきや、
プッと　ふきだしました。ほかの　みんなも

わらいだして、「へのへのもへじ」の　かおを
した　子《こ》など、どこにも　いません。
まんたろうくんと　くろすけくんも　すぐに
えがおに　なり、「ごめんね！」と　すなおに
あやまりました。

とつぜん、きりんの　ツマくんが　いいました。
「あれっ、なんだろう？　メアくんが　かいて

いるのは。」
ぞうの　メアくんが、こうえんの　ひろい
ところで、ぐゅん　ぐゅんと　はなを　大《おお》きく
うごかして、しゅうじみたいに　なにかを
かきだしたのです。
やがて　かきおえた　メアくんは、「ぼくも
やっと　かけた！」と、まんぞくしたように
うなずきました。

それは、山《やま》なのか　川《かわ》なのか、それとも　みち
なのか、さっぱり　わかりませんでした。
「あっ、わかった。メアくん　おみごと！」
きりんの　ツマくんが、こえを
はりあげました。
かんしんして　いる　ツマくんの　かおを、
くいっと　見《み》あげた　ねずみの　ニタくんは、
「せの　たかい　ツマくんと　おなじように、

たかい　ところから　見《み》れば、ぼくにも
わかるかも　しれない。」
そう　いうと、ジャングルジムに　むかって、
ちょろちょろっと　はしって　いきました。

「ニタくーん、どうしたの？」

トライアングルが　おいかけます。ほかの子《こ》たちも、その　あとに　つづきました。いっきに　ジャングルジムの　てっぺんまでのぼった　ニタくんは、さっそく　メアくんのかいた　ものを　見《み》て　みました。あとから　きた　子《こ》たちも、まねを　して見《み》おろしました。

それは、山《やま》でも　なく、川《かわ》でも　なく、
みちでも　ありません。
たこでした。うみを　およぐ、八本《はっぽん》あしの
たこだったのです。

ぞうの　メアくんが　かいた　大《おお》きな　えは、
きりんの　ツマくんに　見《み》えても、ほかの
子《こ》たちには、たかい　ところへ　のぼらなければ、
なんの　えなのか　わからなかったのです。

メアくんは、ジャングルジムに　むかって、
「たこさん　おでまし
へ、へ、へ、へ、の、の、の！」
と　いうと、ながい　はなを「へ」のように
おりまげたり、「の」のように　くるりと
まげたりして　みせました。
この　大《おお》きな　たこも　また、
「へのへのもへじ」の　なかまに　なりました。

の
の

それから　ぞうの　メアくんも、きりんの
ツマくんも　やって　きて、ジャングルジムは
せまいくらい　いっぱいに　なりました。
見《み》おろすと、かぞえきれない　ほどの　かおが
ならんで　いました。わらって　いる　かお、
おこりんぼうの　かお、ひょうきんな　かお、
こまった　かお、なきそうな　かお。

あの　ブランコの　ところに　ぽつんと
いた「へのへのもへじ」に、おともだちが
たくさん　できました。
「ぼくたちも　かいてみたく　なった。」
「こんど、なかまに　いれて　くれよ。」
ちゃっかりと、トライアングルの　となりに
いた　まんたろうくんと　くろすけくんが
いいました。

「クラスの　子《こ》たちや、　シホせんせいにも
見《み》せて　あげたいな。」
「みんなで　かいたら、『へのへのもへじ』の
おともだちが、　もっと　ふえるよね。」
にぎやかな　おしゃべりや　わらいごえが
ひびきわたり、　みんなの　口《くち》は、　いつの　まにか
「こ」の　字《じ》に　なって　いました。

へのへのもへじの おともだちを かいてみよう！

おまけ

にこにこした「へへへへしこじ」は こう かくよ。

①まゆげを かいて  へ

②目《め》を　かく  へ

③もういちど まゆげ  へ

④にこにこしてきたね  へ

⑤はなを　かいて  し

⑥口《くち》を にっこり  こ

⑦さいごに かおの かたちを かいて できあがり！  じ

77ページのこたえ

①へへへともぐる　②このくもくろい　③こつこつつつく

つぎの　絵《え》は、
どんな　もじが
つかわれて
いるかな？

①ねこは　こたつに
〇〇〇と　もぐ〇

②ペンギン　空《そら》　見《み》て
こ〇〇も〇ろい

③さかなが　口《くち》で
こつこつ〇〇〇

わたしも
あたらしい　かおを
かんがえて　みようっと。

みんなも
へのへのもへじの
おともだちを
かいてみてね！

あとがき

顔《かお》のかたちがひとりひとりちがうように、書《か》く文字《もじ》も人《ひと》によってちがいます。友《とも》だちどうしや家族《かぞく》で、七《なな》つのひらがな「へ、の、へ、の、も、へ、じ」をつかって、顔《かお》の絵《え》を描《か》いてみましょう。人《ひと》それぞれにちがって、同《おな》じ顔《かお》にはなりません。

おさないころ、わたしは外《そと》に出《で》て、土《つち》や砂《すな》の上《うえ》に文字《もじ》や絵《え》を描《か》いてあそびました。地面《じめん》は大《おお》きなお絵《え》かき帳《ちょう》だったのです。つたえあいましょうがっこう一年一組《いちねんいちくみ》の子《こ》どもたちも、この地面《じめん》のお絵《え》かき帳《ちょう》に文字《もじ》で顔《かお》を描《か》きました。みんなで頭《あたま》をつきあわせて、ひらがなばかりではなく、カタカナや漢字《かんじ》などもとりいれ、おたがいに感心《かんしん》したり、くやしがったり、よろこびあったりして、ユニークな顔《かお》をつぎつぎにうみだしていきました。

わたしは本《ほん》を書《か》いているとちゅう、どのように物語《ものがたり》を進《すす》めていったらよいのか行《ゆ》きづまってしまうことがあります。そのときの顔《かお》は、きっと「へのへのもへじ」のように口《くち》を「へ」の字《じ》にまげ、しかめっ面《つら》をしていると思《おも》います。

しかし、無事《ぶじ》に書《か》きおえたときは、そのうれしさに「できた！」と声《こえ》をあげ、目《め》を細《ほそ》めて笑顔《えがお》になります。おそらく、そのときのわたしは、子《こ》どもたちが描《か》いていた「へへへへしこじ」の顔《かお》のようになっているでしょう。

今年《ことし》は新型《しんがた》コロナウイルスの影響《えいきょう》で、世界中《せかいじゅう》がたいへんなことになってしまいました。みなさんがマスクをはずして、この本《ほん》の子《こ》どもたちのように密《みつ》になっておしゃべりをしたり、わらいあったりして、元気《げんき》にとびまわれる日《ひ》が早《はや》くきてくれることをねがっています。

本書《ほんしょ》は、「ゆかいなことば　つたえあいましょうがっこう」シリーズの第五《だいご》巻《かん》めとなります。このように続《つづ》けてこられたのも、編集担当《へんしゅうたんとう》の原祐佳里《はらゆかり》さんはじめ、くもん出版《しゅっぱん》の方々《かたがた》、画家《がか》の市居《いちい》みかさん、デザイナーの村松道代《むらまつみちよ》さん、そしてなによりいつも応援《おうえん》してくださっている読者《どくしゃ》のみなさんのおかげです。深《ふか》く感謝申《かんしゃもう》しあげ、次作《じさく》に向《む》けて筆《ふで》を進《すす》めてまいります。

二〇二〇年十月

宮下《みやした》すずか

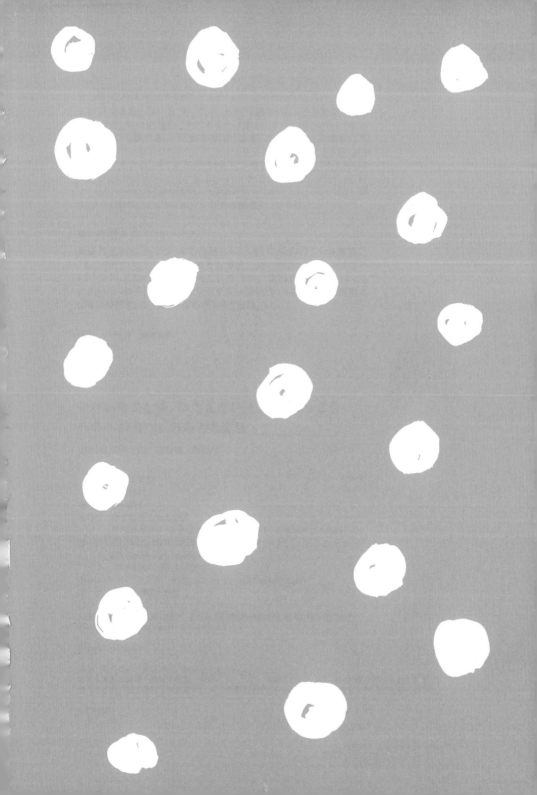